實用中國結

～初學篇～

周　琦／編著

林榮豐／增訂

楊柳青青江水平，
聞郎江上唱歌聲；
東邊日出西邊雨，
道是無晴卻有晴。

鈕扣結項圈
作法請見52頁

繡球結項鍊
作法請見96頁

百金買駿馬，
千金買美人，
萬金買高爵，
何處買青春？

雙聯結項圈
作法請見55頁

3

法輪結項鍊
作法請見101頁

勸君更進一杯酒
西出陽關無故人

吉祥結鑰匙圈
作法請見80頁

4

把我的真心獻給你
不論多遙遠的距離
盼你都能夠感應

八耳團錦結項鍊
作法請見76頁

5

扇兒起　扇兒落

起起落落　只爲你

十全結扇墜
作法請見 136 頁

6

PARIS
EXPOSITION UNIVERSELLE
1900

FORTUNE DUCK

馨結項鍊
作法請見 107 頁

你說你最愛小雛菊
今早我摘地摘下
然而你已獨自遠遊
留我在這裡守候

7

雲想衣裳花想容
春風拂檻露華濃

龜形結胸針・項鍊
作法請見63頁

8

如果風還在吹
請給我一點點時間
慢慢地凝眸冥想
讓那古老以前的故事
在心中緩緩地流動

如意結項鍊
作法請見90頁

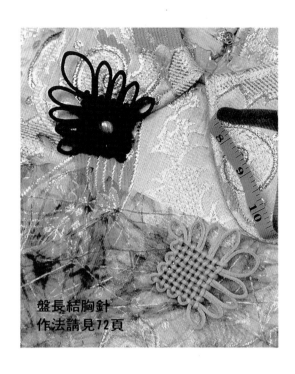

盤長結胸針
作法請見72頁

慈母手中線，
遊子身上衣。

舉杯邀明月，
對影成三人。

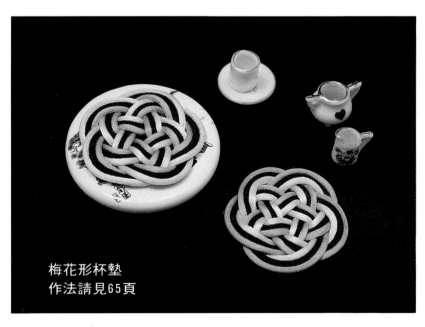

梅花形杯墊
作法請見65頁

吉祥如意鑰匙圈
作法請見134頁

君問歸期未有期，
巴山夜雨漲秋池。
何當共翦西窗燭，
卻話巴山夜雨時？

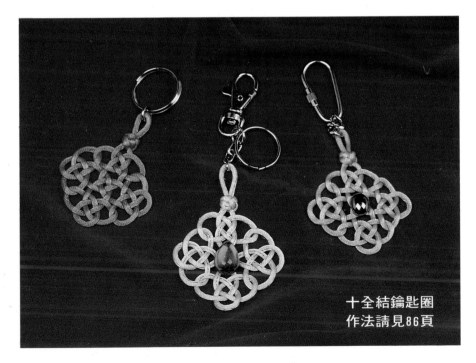

十全結鑰匙圈
作法請見86頁

11

不奢求天長地久
只在乎曾經擁有

酢漿草結鑰匙圈
作法請見68頁

我的心情
是一座不設防的小城

如意鑰匙圈
作法請見 158 頁

13

心寬體胖笑呵呵
諸事大吉樂事多

鈕扣雙聯項圈
作法請見 126 頁

曉鏡但愁雲鬢改，夜吟應覺月光寒，
蓬萊此去無多路，青鳥殷勤為探看。

花團錦簇項鍊
作法請見 148 頁

魚形項鍊
作法請見 154頁

魚兒魚兒水中游
游來游去樂悠悠
請記得雙魚座的
柔美與多情

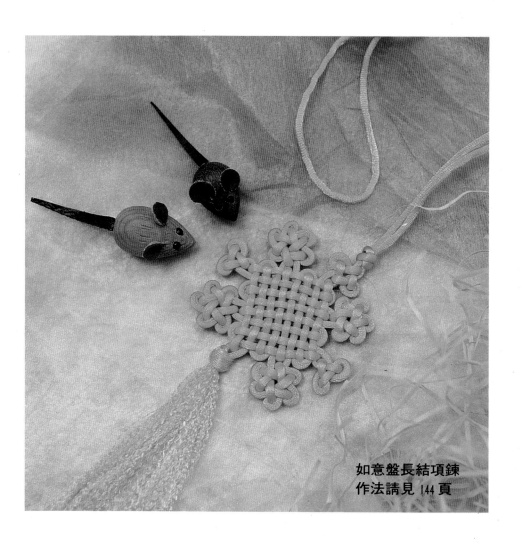

如意盤長結項鍊
作法請見 144 頁

小傢伙
你想探索些什麼
那不過是人們遺落的
一段情

我把愛收藏在珠寶盒裡
等你回來一起品嘗馨香

吉祥項鍊
作法請見130頁

笑看人世悲歡離合 · 坐握結藝福祿壽喜

壽字結掛飾
作法請見 162 頁

蝴蝶壁飾
作法請見 114 頁

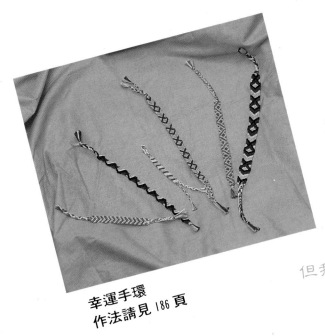

思念就像一條繩

綁住你我兩顆心

但我不做你的枷鎖

幸運手環
作法請見 186 頁

雙錢結手鐲
作法請見59頁

如意扇墜
作法請見140頁

22

風兒來
吹縐一池的春水
鈴聲揚
掉落滿懷的音符
戀愛了
千萬隻彩蝶飛舞著

蝴蝶風鈴
作法請見122頁

姻緣天注定
囍事擋不住
我要愛你一萬年

囍字壁飾
作法請見 166 頁

春字壁飾
福字壁飾
圓盤垂飾組合
作法請見 170 、 180 、 175 頁

龍族心・結藝情

巧思篇

結合平面・立體・線條・造形
展現古典・創新・傳統・現代
中國結藝之美

林榮豐 編著

本書25K本・彩色精印
收錄50種精美作品，並有詳細作法示範
全省各大書局均售
特價250元・團體訂購另有優惠
郵政劃撥1765804－2　戶名：民聖文化事業股份公司

兔寶寶

天鵝

髮夾

腰帶

攝影／黃天仁

本頁作品摘錄自「龍族心・結藝情～巧思篇」一書

27

耳環・項鍊・髮夾・胸針

胸飾

本頁作品摘錄自「龍族心・結藝情～巧思篇」一書

攝影／黃天仁

金盞花

愛麗絲

線的材料介紹

色卡

169	138	563	520
101	655	713	540
103	1904	738	543
106	261	331	523
129	262	484	525
700	228	900	172
122	231	02	F106
192	233	374	F228
130	257	365	F103
672	214	368	783
676	222	335	363
675	734	800	111

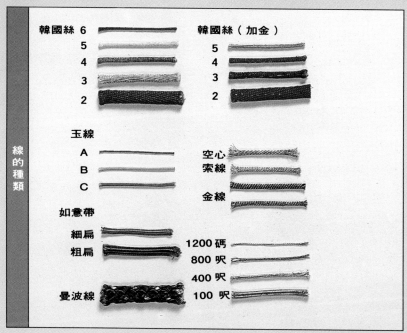

線的種類

韓國絲 6
5
4
3
2

韓國絲（加金）
5
4
3
2

玉線
A
B
C

如意帶
細扁
粗扁

曼波線

空心
索線

金線

1200 碼
800 呎
400 呎
100 呎

註 由於市面所見的線材大部分皆有尼龍成分，所以可用燃燒方式將2個線頭互相燒融接合，或以黏著劑黏合、或用針線縫合皆可。（不論何種方式，請千萬注意安全並勿讓小朋友單獨使用）

各類材料介紹

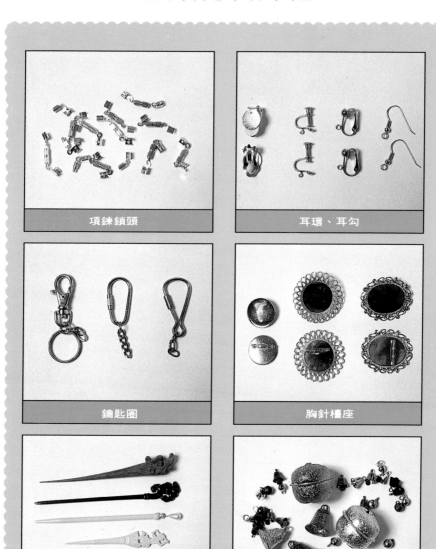

項鍊鎖頭

耳環、耳勾

鑰匙圈

胸針檯座

髮簪

鈴鐺

各類材料介紹

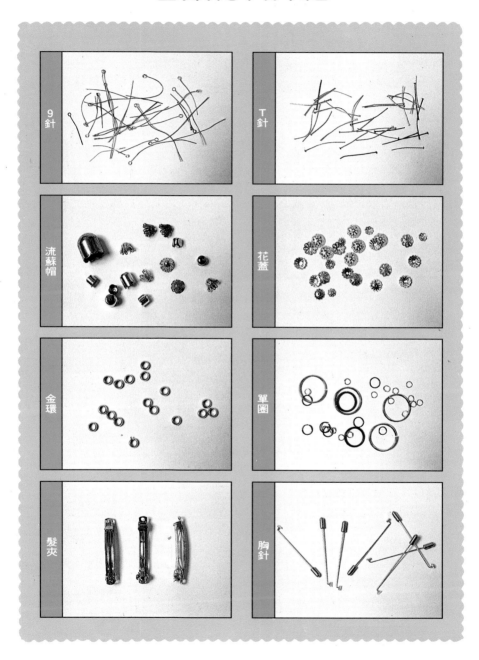

9針　T針

流蘇帽　花蓋

金環　單圈

髮夾　胸針

31

如何計算長度

2 號線、3 號線、4 號線、5 號線長度的換算

圖例：2 圈盤長結

2 號線	3 號線	4 號線	5 號線
98cm	73cm	56cm	28cm

比例： 3.5 ： 2.6 ： 2 ： 1

圖例：酢醬草

2 號線	3 號線	4 號線	5 號線
36cm	25cm	18cm	10cm

比例： 3.6 ： 2.5 ： 1.8 ： 1

圖例：平結

2 號線	3 號線	4 號線	5 號線
14cm	10cm	7cm	5cm

比例： 2.8 ： 2 ： 1.4 ： 1

圖例：吉祥結（鞭炮結）

2 號線	3 號線	4 號線	5 號線
13cm	8cm	6cm	4.5cm

比例： 2.9 ： 1.8 ： 1.3 ： 1

由換算比例可算出不同號數所編結體的數量，以平結為例：
雙線雙平結編成長 30cm（ 1 尺），4 號線需編 39 個平結。
圖例：

54 個雙線雙平結（5 號線）

30cm

備註：54 個／1.4＝38.5 個（約為 39 個）（4 號線）

改版序

　　中國結（繩結藝術）約西元一九七九年於臺灣，由一群熱愛繩結藝術的朋友，在推廣初期因介紹之繩結藝術，乃是以中國文物飾品中之繩結為限，故而命之為「中國結」。

　　據現有文物考究，繩結發展在明朝（約十四世紀）即有運用在服飾與日常生活用品的裝飾之用，文字記述中約五千年前即有「結繩記事」之說。亦即繩結的運用，早期著重於實用記錄，後來才發展成裝飾美化之用。

　　本書初版已是多年之前，故編排較偏向於每一基本結體介紹，皆只提供一件成品製作以供參考，故若需更多成品製作參考，請參閱『龍族心‧結藝情』（當然往後更會陸續出版介紹更多的基本、變化結的成品製作）。因此，本書再版時為求改變，書中所有之成品皆為重新製作，以期呈現更好的質感在讀者眼前。至於書中所提之任何材料，亦為參考之用，讀者可依個人喜好，選擇不同的材質略作變化，更會有不同的感受。而線的長短亦需根據個人習慣而有不同，若習慣編結較結實者，則所需編結的線較書中所記載的少些，反之則多些，如此方能更適度的表現個人風格，亦較不會因浪費或不足而產生不必要的困擾。

　　誠心希望本書能帶給讀者更多的快樂與創意，並藉由本書提升、美化自己的生活。

林榮豐

目　錄

等一等！動手做前，
先認識這些「記號」：

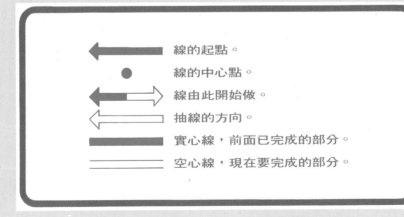

線的起點。

線的中心點。

線由此開始做。

抽線的方向。

實心線，前面已完成的部分。

空心線，現在要完成的部分。

單元 **1** ：準備

材料與編結概念

做好中國結，其實不難。首先我們要認識
那些常見材料和編結步驟，掌握好要訣，開始
"暖身"嘍！

線

　　中國結的生命，最主要的在於「線」。靈活運用線的變化，做出各式不同韻味的結飾，常常叫人愛不釋手。

　　線的種類很多，應如何來應用呢？一般來說細線用來編小巧的結，例如項鍊；粗線用來編大型的結，如掛飾；質地硬的線編出來的結較硬挺，但不易抽緊，不好成形；質地軟的線可用來編墜子等的裝飾結，但有容易變形的缺點，為改變此缺點，可使用髮麗香、稀釋的透明漆，或稀釋的樹脂，強化結體的硬度。另外還有金蔥線，可用來做點綴或搭配。

　　線的顏色有很多種，使用時依搭配的飾品或陶珠的顏色，巧妙的做搭配，便可變化出五彩繽紛的特殊飾物。

尼龍辮繩——質料為尼龍。細約0.2公分，質地較硬，適合用於編較硬挺的結飾。

曼波線——質料為人造絲。粗約0.4公分，另有特粗線，質地軟，適合腰帶或胸針。

韓國絲——質料為人造絲。有4號線（約0.3公分）、5號線（約0.2公分）。質地較軟，色澤艷麗，稍帶光澤，是用途最廣的線，另有3號線、2號線、6號線。

金蔥線——是種特殊的線，有粗細兩種。有金色、銀色、紅色、黑色等顏色。可單獨編結，也可用來搭配其他的線。

玉線——Ａ、Ｂ、Ｃ三種粗細不同，常與玉器搭配。

珠子・陶瓶

依結形適當的鑲上珠子，可使一個樸素的結飾變得耀眼非凡，因此珠子對結的裝飾也是非常的重要。

在結的下面配上墜子，也是一門非常大的學問。例如在磬結下配一個水滴形的寶石，可表現出磬結的華麗。但如果在磬結下鑲個圓形的寶石，那麼磬結的美感完全破壞無遺。

中國結的配件有珠子、陶珠、木珠、陶瓶、玉、瑪瑙、琺瑯、象牙、金屬環等。

珠子——有各種大小的珠子，用來點綴結的空際，必須用針線將它縫上。

陶珠——有圓形、橢圓形、長條形、三角形，大小也可隨搭配而選擇。色彩也有多種變化，通常是三色的搭配，也有畫著圖案的陶珠，珠孔較大，可將線直接穿入。

陶瓶——這是仿照古時的瓷瓶所做的裝飾品，有葫蘆瓶、膽瓶、酒瓶、花瓶等樣式。

寶石——這是較昂貴的裝飾品，坊間也有仿製的代用品，在經濟能力不十分充裕時，可選擇使用。通常使用玉石、瑪瑙、翡翠、象牙、虎眼石、珊瑚等等。

除此之外還有古銅錢、葫蘆、玉環等。

其他材料

除了上述的材料外，中國結還可運用在扇墜、壁飾等方面，配合使用的材料有圓框、橢圓框、網狀圓盤。

圓框——多用於字型的組合上，有30公分、17公分、10公分、5公分等尺寸，可配合使用於各種結形的變化，5公分的小圓框也可用於項鍊或掛飾。

橢圓框——和圓框相同的用法，尺寸有30公分×26公分和19公分×15公分兩種，依使用的線來選擇使用的框。另有心型鐵框可供選擇使用。

網狀圓盤——表面如十字繡布的圓形平盤，有4吋、5吋、6吋、8吋、10吋、12吋等尺寸。

運用在飾物的搭配上有別針、項鍊頭、鑰匙圈、夾線頭、金環、耳環等。

除此之外，中國結還可運用在各種器物上，許多的飾物也可成為搭配中國結的最佳搭檔，如古色古香的香包、荷包、眼鏡袋、小巧的陶製品、紙傘、蕭、琵琶等樂器、藤製的風鈴、古樸的銅製品、玻璃製品、葫蘆等。

只要搭配得宜，中國結可隨意應用在任何的器物上，所以隨時留意身邊的小物品，選擇合適的配件，依自己的創造力，設計出別出新裁的結飾來美化生活。

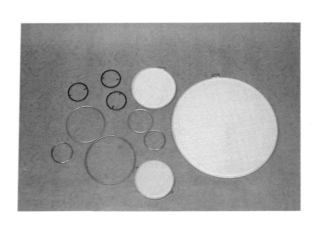

工具

　　使用的工具有保麗龍板（或軟木墊）、珠針、剪刀、髮夾、鑷子、針線、尖嘴鉗、樹脂。

　　傳統的中國結藝在製作時，通常是不用輔助的工具，但為了方便初學者學習，或較複雜的結體（如盤長、磬結），可節省許多時間，更可達到事半功倍的效果。

保麗龍板——厚度約2公分以上，因外表容易受珠針所破壞，可用素色的布將表面包住，可延長使用壽命，也可使用軟木墊，外表一樣用素色的布包好。其優點為固定時不易受珠針移動所破壞，消除保麗龍磨擦的刺耳聲。

珠針——在編結較複雜的結形時，利用珠針來固定線的走向，使結形更清楚。

剪刀——用來修剪不必要的線。

鑷子及髮夾——用來幫助編結時的穿、壓、挑。另外在徒手編結時可用髮夾固定（如團錦、蝴蝶、盤長）。

針、線——固定結形時可用針線縫牢，或在鑲珠子時，也須使用針線縫上。

尖嘴鉗——製作流蘇時，用來修剪鐵絲。或較難拉線的結也可用尖嘴鉗來拉。

樹脂——在線的尾端沾上樹脂後，再修飾收到結形裡，可保持線尾不會鬆開。

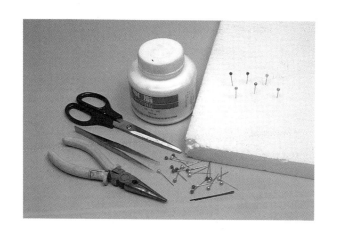

編

初學者在剛開始學習時，常常被複雜的線路所迷惑，而心生怯意，所以在開始編的時候，手忙腳亂的看錯或編錯，終而放棄，這是一件非常可惜的事。但只要你定下心來，借助於工具，一步驟接一步驟的按著圖形進行，相信你一定可以很快的學會中國結。

在練習基本結時，線的長度是很重要的，太短時不夠編一個結，太長了又絆手絆腳的，這時不妨用一條6尺4號韓國絲來練習。但對某些結又太長了，這時可將線對摺，打一個活結，留下適當長度的線來練習。

練習前仔細的將圖解看一次，再開始做。做好一個結時，先檢查有無錯誤，記好線的走向，拉出結形，再拆掉。拆的時候也要注意線的走向，如此反覆練習到熟練為止。

但有的結用徒手編要比使用輔助工具來得方便，如雙聯結、鈕扣結、酢漿草結，可不使用工具直接練習。

等到借助工具的練習熟悉後，就可試著徒手編了。徒手編結時大都使用單線編，有的結形較複雜時，使用髮夾固定線結的部分，如團錦。

徒手編結時因線較軟，穿來穿去較不方便，這時可用膠帶將線頭黏成尖頭形。

等到基本結全部熟練以後，再從一些比較簡單的結形開始著手做「組合結」。

所謂的組合結即是運用基本結來組合，例如如意結是四個酢漿草結的組合，法輪結是酢漿草結和盤長結的組合。因此只要練熟了基本結，再由淺至深的一步一步進行，進而融會貫通，不久你即可依自己的喜愛，設計出自己獨有的中國結。

● 線太長時

線過長時，可先將線對摺，打一個活結固定，再開始編結。

● 線頭的處理法

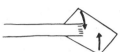

線頭部分用火燒過。

在線頭部分包上膠帶。

將線頭部分包成如圖的尖頭狀。

● 保麗龍板和珠針
將線繞成所需的長度與位置，用珠針固定在保麗龍板上。

● 徒手編結

酢漿草結

鈕扣結

● 用髮夾編結
徒手做團錦結時，可先用髮夾固定。

● 雙線編結
雙線編結時，線頭有兩條。

● 單線編結
單線編結時，線頭只有一條。

抽線

編好一個結形，只是一個鬆散的結構。這時必須把結的形狀加以調整，這便是「抽線」。

抽線是編結中最重要，也最困難的一環，我們必須先了解線的走向、外耳、內耳，先將結心與結體抽緊，再調整耳的大小。

抽線的鬆緊，是決定結形美醜的主要條件，有的結形必須抽得緊，有的結形必須抽得鬆。故抽線時要注意下列幾點：

---

1 將結形分出外耳、內耳，抓住外耳翼，將結心抽緊。在拉外耳翼時，雙手力量平均的向外拉，等結心抽到適合的大小和形狀時，再調整耳翼的大小。

將線朝箭頭方向拉。

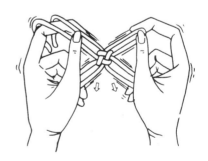

如圖用雙手拉住結的外耳，拉緊即可。

2 遇到單頭線的情形，只要從起點循著線的走向抽到線尾即可，要是雙頭線就必須由中心點向兩邊抽到兩邊的線頭了。由於開始練習時，常會發生抽錯頭的現象，這是因為不了解線的走向的關係。只要反覆的練習，就可以很快的了解結形的構造。

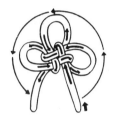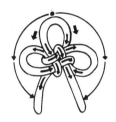

單頭線　　　　　　　　雙頭線

---

3 在調整耳翼的時候還必須注意線有沒有扭轉。如果有扭轉的情形發生，就必須將線調整到平整。若像盤耳等較複雜難抽線的情形，可借助於鑷子和尖嘴鉗來抽線。

依線的走向，一部分一部分的將外耳調整成適當的大小。

線扭轉時，將結體稍微鬆開，依扭轉部分的反方向旋轉。

修飾

修飾也是中國結中重要的一環。

做好一個結後，留下的線頭該如處理呢？常用的修飾法有下列五種：

| 藏線頭 | 將線頭藏在結體裡。這種方法常用於胸針的製作上。 |

將線頭藏入這裡，剪斷用樹脂固定。

剪斷用樹脂固定

| 暗縫 | 用來做項鍊的結，往往因為墜子的重量而變形。這時在較容易變形的結上，用同色的線暗縫在整個結形裡，可保持結形不變。 |

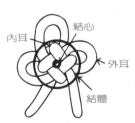

內耳　結心　外耳　結體

用線暗縫在這裡

也可用樹脂固定

鑲珠子

做好一個結時，在它的空隙上縫上珠子。所鑲的珠子必須配合結的大小和顏色，才能有相得益彰的效果。

● 縫珠子法

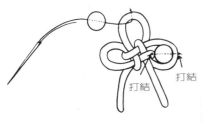

打結　　打結

● 穿陶珠的方法

珠孔較大時，可直接將線穿入。

珠孔較小時，用一條細線勾住線的一部分，再穿入珠孔，用力拉。

繞線法

這是一種免用針縫的收線頭法，可用來收線頭兼裝飾的好方法，也可用來接線頭。

①將線頭一端摺成直耳，用手固定在將做繞線縫的部分。

②將線依固定方向繞幾圈，繞線時，線依次序排列整齊。

③將線穿入已繞好的直耳裡，拉緊線圈，將線頭剪斷，用樹脂固定。

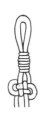

扣環的裝飾

線尾的裝線

流蘇的裝飾

流蘇

流蘇的做法有許多種，可配合鈕扣結和雙聯結使用。人造絲辮繩和韓國絲可以梳開，再用蒸氣熨過；或用同色的流蘇線綁上，這是運用非常廣的一種藏線頭法。

①用鑷子慢慢梳開線頭，兩條線都要梳開。

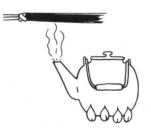

②燒熱水，利用蒸氣將梳開的絲線熨平。

①流蘇線繞成適當的長度，將結體的線頭穿入流蘇的中央。

②用同色的細線將流蘇線緊緊的綁牢。

←剪開

③線反摺回正面，再用金蔥線做繞線縫固定。

● 其他的收尾法

除了做流蘇外，還可在線頭處做一個結為結束，或用火烤一下。

將線頭剪齊，在線頭處繞縫上同色的線，再鬆開尾端的線。

在線頭處穿入一個小陶珠，再打一個結固定。

單元 **2** ：開步

快樂的從基礎學起

「萬丈高樓平地起」，想做出本書中的精
美作品，別急！得先要學會這個單元內的基本
結喲！

鈕 扣 結

- 此結多用於扣緊衣服，故稱鈕扣結。結形太小，不適合單獨作裝飾，可做爲其他大型結的開頭或結尾。
- 單獨做一個鈕扣結用4號韓國線1尺。

<table>
<tr><td>1</td><td>將線如圖穿繞，這個結可直接徒手做。</td></tr>
</table>

用左手捏住這裡 →

<table>
<tr><td>2</td><td>接著以一壓一穿的次序，如圖穿過①的中心位置。</td></tr>
</table>

穿

壓

穿

壓

| 3 | 再將線頭穿入中央的洞中。 |

由這個洞穿出

| 4 | 將右線如圖的穿入中央的洞中，拉緊箭頭所示部分。 |

拉線時，將線結部分向上調整。

| 5 | 抽緊頭、尾的線後，開始調整鈕扣結的形狀。抽線時可依需要而將中央的線緊拉到結體裡，做成鈕扣花。 |

向左右兩邊將中央線頭拉緊，即成鈕扣花。

鈕扣結項圈

材料／
淺粉紅、桃紅色韓國絲各5尺
大陶珠1個
項鍊頭1副

---

1 線的一端用項鍊頭固定，留15公分，開始做鈕扣結。

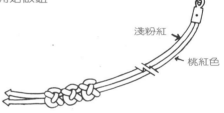

淺粉紅

桃紅色

做鈕扣結時，注意兩色線的位置。

---

2 連續做10個鈕扣結。

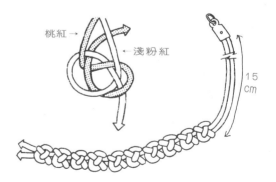

桃紅→

←淺粉紅

15 cm

雙 聯 結 項 圈

材料／
桃紅色韓國絲（5號）8尺
金色圓環6個
大陶珠1個
小陶珠2個

使用結／
雙聯結、鈕扣結

| 1 | 將線對摺定好中心點，做一個雙聯結，中心位置留1公分當扣環。 |

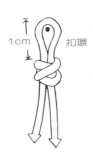

| 2 | 離做好的雙聯結8公分的位置，再做一個雙聯結。 |

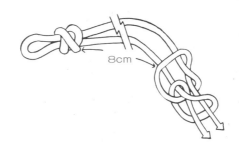

| 3 | 在距離②所做好的雙聯結3公分的位置，連續編二個雙聯結，穿金環，再做二個雙聯結。 |

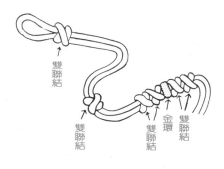

雙聯結

雙聯結

雙聯結

金環

雙聯結

| 4 | 如③的次序，再打一組雙聯結，再穿一個金環，一個小陶珠後，打一個鈕扣結。 |

金環

一組

3cm

小陶珠

| 5 | 編好一個鈕扣結，並穿入一個大陶珠，之後再做一個鈕扣結。 |

← 鈕扣結

大陶珠

6

穿入一個小陶珠，再穿一個金環後，照④、③、②、①的次序，做好對稱的另一邊，最後做一個鈕扣結。

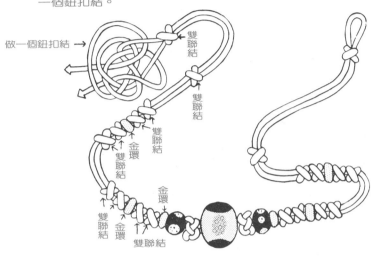

做一個鈕扣結 →

← 雙聯結

← 雙聯結

↑ 雙聯結

↑ 金環

↑ 雙聯結

金環

↑ 雙聯結

↑ 雙聯結 ↑ 金環

7

將鈕扣結的線頭部分剪掉，用火燒過處理，塞入鈕扣結裡，再黏上樹脂固定。

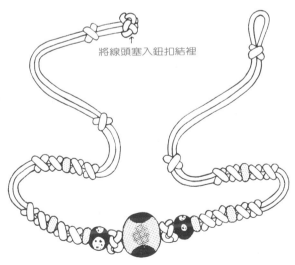

將線頭塞入鈕扣結裡

雙 錢 結

- 古銅錢多爲「外圓內方」，雙錢結就像兩個銅錢相套，因而得名。
- 單獨做一個雙錢結用4號韓國線1尺。

| 1 | 如圖繞一個圓圈。 |

| 2 | 將線頭穿過①的圓圈再做一個圓圈，並壓過起點線。 |

| 3 | 如圖以一穿一壓的次序，通過①、②所做的圓圈。 |

雙錢結不甚堅固，可直向或橫向相連著編。

直向相連

橫向相連

雙錢結手鐲

材料／
韓國絲線（米黃、綠）5號3尺

使用結／
雙聯結、雙錢結、鈕扣結

1

將米黃、綠兩條線用火
處理線頭，趁熱將兩條
線黏接在一起。

↑
綠　　　↑　　　米黃

↑
趁熱將兩條線黏住

2

將米黃線靠近黏接部分
對摺，黏接部分以雙聯
結蓋住。（雙聯結參考
54頁）。

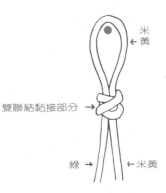

米
→ 黃

雙聯結黏接部分 →

綠 →　　← 米黃

| 3 | 連續做二個相連的雙錢結。 |

雙聯結

綠 → ← 米黃

← 0.2cm

綠 → ← 米黃

| 4 | 距二個相連的雙錢結0.8公分的位置做一個雙錢結,再隔0.8公分的位置做二個雙錢結。依此次序做出適合手腕長度的雙錢手鐲。 |

看清楚喔!

← 雙聯結

← 0.8cm

做好適當長度的手鐲後
，兩股線合併成一股，
做一個鈕扣結。

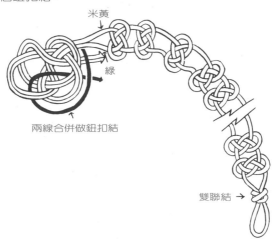

米黃
綠
兩線合併做鈕扣結
雙聯結 →

拉緊鈕扣結，剪掉線頭
，用火燒過處理，塞入
鈕扣結裡，點上樹脂固
定。

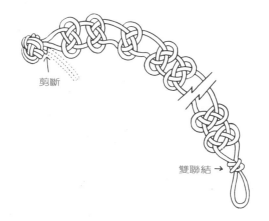

剪斷
雙聯結 →

63

龜形結（烏龜結）

● 此結常用於製作烏龜，故稱龜形結。龜形結與雙錢結同屬平面結，華麗卻不牢固。
● 單獨做一個龜形錢結用線40公分。

| **1** | 龜形結與雙錢結很類似，請照圖示穿出，並注意線頭部分的穿與壓。 |

穿　　壓

| **2** | 左線依圖的位置穿出。 |

| **3** | 右線如圖穿出，即告完成。 |

龜 形 結 胸 針

材料／
紫色5號韓國絲2尺
金色金蔥線2尺
別針1副
橘紅色繡線少許
半珠一片

使用結／
龜形結

| 1 | 先用紫色韓國絲做出一個龜形結，再用金蔥線依穿壓次序穿入。 |

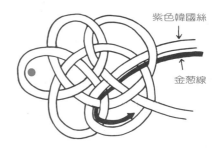

紫色韓國絲

金蔥線

| 2 | 穿好金蔥線，將線頭剪斷，紫色韓國絲用火燒過後處理，再將兩邊線頭縫合，用樹脂固定，並縫上別針、黏上半珠裝飾。 |

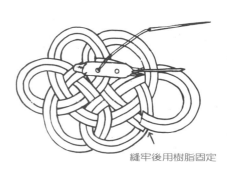

縫牢後用樹脂固定

梅 花 結

● 梅花結形狀就像五瓣的梅花一樣，故稱梅花結。

● 單獨做一個梅花結用線40公分。

1　作法是先做出一個類似雙錢的結，要注意線的走向。

2　右線依照圖的走向一穿一壓即成。

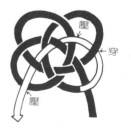

梅花形杯墊

材料／
米黃、紫、黃色4號韓國絲各2尺
紅色繡線少許

使用結／
梅花結

| 1 | 三條線成一股的做出一個梅花結。注意線的排列，保持米黃、紫、黃的位置不變。 |

黃 紫 米黃

| 2 | 將線頭剪成適當的長度，用火燒過處理，用針線縫牢。樹脂用水調稀，用牙刷在杯墊的反面刷勻，使之變硬。 |

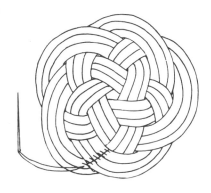

酢 漿 草 結

● 酢漿草結的三個外耳就像一株酢漿草般，因而得名。熟悉此結的作法，再練習其他的結就方便多了。

● 單獨做一個酢漿草結用線30公分。

| 1 | 將線拉出一個M字型（如圖），再將內耳②穿入內耳①內。 |

| 2 | 再拉出一個內耳③，穿入內耳②。 |

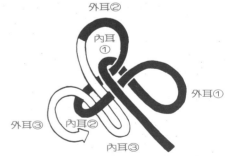

| 3 | 將線穿入內耳③，勾住內耳①的線，再穿出內耳③。 |

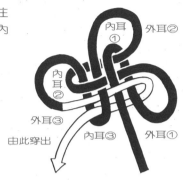

內耳①
外耳②
內耳②
外耳③
由此穿出
內耳③
外耳①

| 4 | 將外耳向四周拉緊，再調整外耳的大小。 |

由酢醬草結衍生的作品還有：髮夾、腰帶（如彩頁第27頁所示），詳情請見『龍族心‧結藝情～巧思篇』一書。

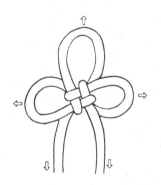

雙耳酢漿草結

與三耳的酢漿草結作法相同，只是在做好內耳後，即做收線（即③的步驟）。

酢漿草結鑰匙圈

材料／
藍色韓國絲（5號）4尺30cm2條
金色金蔥線少許
鑰匙圈1個

使用結／
酢漿草結、雙聯結

| 1 | 將線穿進鑰匙圈的小環部分，做一個雙聯結。 |

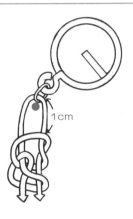

1cm

| 2 | 在雙聯結下面做一個酢漿草結。 |

3	接連再做兩個酢漿草結，第二個酢漿草結的外耳須留大一點（如圖）。

外耳留大一點

4	調好酢漿草結的外耳後，再做一個雙聯結。

5	用兩條韓國絲梳開當流蘇，中間留2公分不梳開，當反綁部分。

1cm

另外拿兩條線
梳開當流蘇

盤 長 結

- 盤長結外形似方形，結形較大，結構密實，垂掛重物不會變形。結形美觀，且可大可小。
- 單獨做一個四排盤長結用4號韓國線4尺。

| 1 | 由中心點開始，右線做出一個W字型。 |

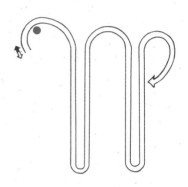

| 2 | 如圖①般的做出一個W字型通過①線的中央。 |

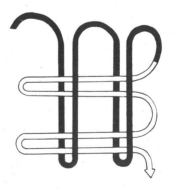

| 3 | 利用左線繞過①的線。線頭向右時，全部為壓；向左時，全部為穿。 |

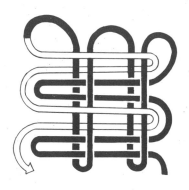

| 4 | 如圖般的向上時穿一壓三做二次，向下時穿二壓一穿三壓一穿一的繞回原處，做二次。 |

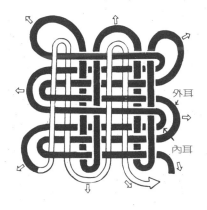

外耳

內耳

| 5 | 等線全部穿好後，拉住外耳，力量平均的向外側拉，再調整外耳大小。 |

盤 長 結 胸 針

材料／
暗紅色5號韓國絲12尺
別針1副
暗紅色繡線少許
半珠一片

使用結／
盤長結

1

八排盤長是四排盤長的一倍大，作法和四排盤長一樣。如圖做好平行的八條線。

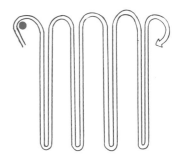

2

如前頁的②、③做出橫排的十六條線。

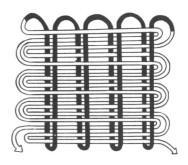

| 3 | 如71頁④的作法完成八排的盤長結，然後抽線。依需要調整外耳大小。 |

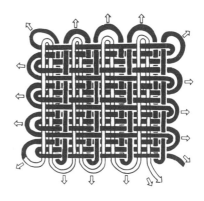

| 4 | 剪斷線頭塞入結體裡，用樹脂固定。 |

線頭塞入背面的位置

正面

| 5 | 縫上別針。別針縫好後若稍有鬆動，用樹脂將別針黏在結體上。中心可黏上半珠裝飾。 |

別針縫於背面右上角

團 錦 結

- 此結結形圓滿，又像花形，象徵花團錦簇，故稱團錦結。還可變化出五、七、八……耳的團錦結。
- 單獨做一個六耳團錦結用4號韓國線4尺。

1	如酢漿草結般的先做好內耳①、內耳②。

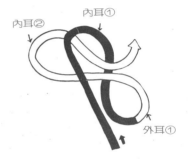

2	拉一組線，穿入內耳①、內耳②中，如此便做好內耳③。

3	如②的作法，拉一組線，穿入內耳②、內耳③，做成內耳④。

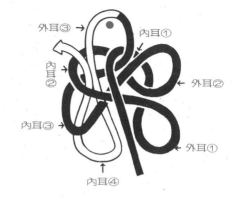

4	做好四個內耳後，開始收線，收線時將線從內耳③、內耳④穿入，勾住內耳①的線，再穿出。

5	再將線從內耳④、內耳⑤穿入，勾住內耳②的線，穿出，拉緊外耳，再調整外耳大小。

線尾接合，即成6耳團錦結。

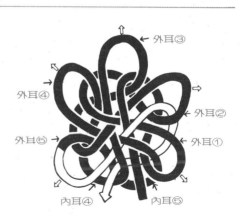

八耳團錦結項鍊

材料／
黃色韓國絲（5號）4尺
金色金蔥線2尺
褐色小陶珠1個
項鍊頭1副

使用結／
團錦結、鈕扣結

| 1 | 如74頁①②③的作法做出六個內耳（如圖），然後收線（④⑤）。 |

| 2 | 做好收線後，用金色的金蔥線，沿著線的走勢穿繞，穿好金線後拉緊外耳。 |

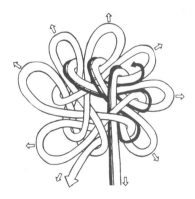

3

調整好外耳後，用金色金蔥線做好一個鈕扣結，將黃色韓國絲穿入鈕扣結的中心，抽線。

先做好鈕扣結，再將黃色韓國絲穿入鈕扣結的中央。

4

抽緊鈕扣結，剪斷線頭，用樹脂固定。黃色韓國絲剪成適當的長度，裝上項鍊頭。在團錦結的中央縫上一個褐色的陶珠點綴。

由團錦結衍生的作品還有：愛麗絲、耳環、項鍊、髮夾、胸針、胸飾、金盞花等（如彩頁第28頁所示），詳情請見『龍族心・結藝情～巧思篇』一書。

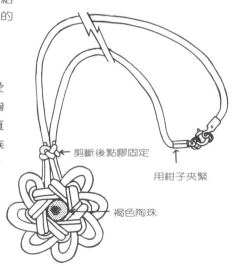

剪斷後點膠固定

用鉗子夾緊

褐色陶珠

吉 祥 結

- 吉祥結是中國古老的裝飾結,常出現在僧人的裟衣、廟裡的帳幔上,也稱廟宇結。有象徵祥瑞之意。
- 單獨做一個吉祥結用4號韓國線3尺。

| 1 | 將線拉成如圖的十字型,將線依逆時鐘的方向穿壓。 |

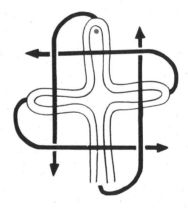

| 2 | 如圖般的做好穿壓,拉緊外耳。 |

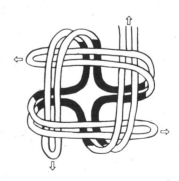

| 3 | 再將外耳依順時鐘方向
穿壓（如圖）。 |

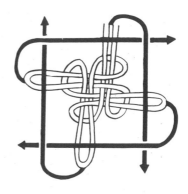

| 4 | 如圖般的做好穿壓，拉
緊外耳。 |

| 5 | 拉緊外耳後，開始調整
外耳大小。調整時，外
耳不可留太小，免得鬆
開。 |

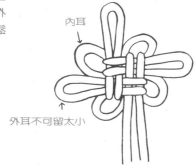

內耳

外耳不可留太小

吉祥結鑰匙圈

材料／
米黃色韓國絲（4號）4尺
鈴鐺1個
陶珠2個
鑰匙圈1副
夾線頭1個

使用結／
吉祥結

1	在線的中央穿鈴鐺一個，兩側外耳各穿入一陶珠，再開始做吉祥結。

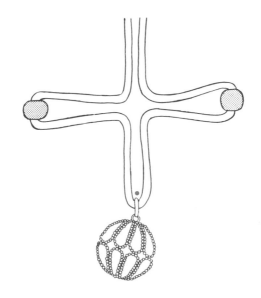

| 2 | 如此做好吉祥結後，調整外耳大小。 |

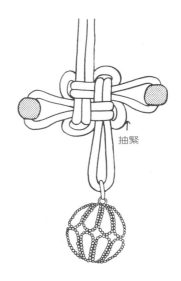

抽緊

| 3 | 調整好外耳，剪去多餘的線，裝上夾線頭，再裝進鑰匙圈上。 |

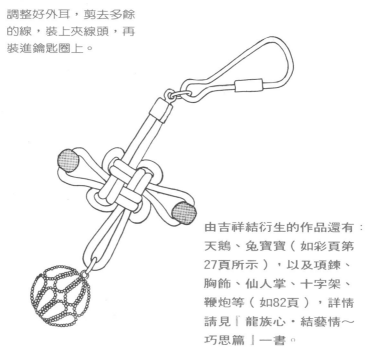

由吉祥結衍生的作品還有：天鵝、兔寶寶（如彩頁第27頁所示），以及項鍊、胸飾、仙人掌、十字架、鞭炮等（如82頁），詳情請見『龍族心‧結藝情～巧思篇』一書。

吉祥結衍生作品

項錬

吉祥胸飾

仙人掌

鞭炮

十字架

本頁作品摘錄自「龍族心・結藝情～巧思篇」一書

攝影／黃天仁

單元 **3** ：組合

把基本結組合起來

　　前面的基本結，你都會了嗎？現在，搓搓
手，我們試著把這些基本結組合起來，瞧瞧能
變出什麼驚人的作品……

十全結

- 古時稱錢幣爲泉，「全」、「泉」合音。此結由五個雙錢組合，故稱「十全」。
- 單獨做一個十全結用4號韓國線4尺。

1

先做好一個雙錢結，線頭部分交叉，左線壓在右線上。

2

用左線做一個雙錢結，外耳相勾連（如圖）。

| 3 | 如左線般的作法，右線也做一個雙錢結，勾住外耳，中央部分如圖做穿壓，令線頭相交叉。 |

| 4 | 中央部分做好後，兩邊線頭如圖做穿壓，便完成了一個十全結。 |

十 全 結 鑰 匙 圈

材料／
粉紅色5號韓國絲3尺
鑰匙圈1副

使用結／
十全結、鈕扣結

| 1 | 定好線的中心點,開始
做一個十全結。 |

<table>
<tr><td>2</td><td>做好十全結，再做一個
鈕扣結。</td></tr>
</table>

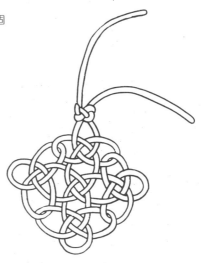

<table>
<tr><td>3</td><td>用一條線勾住鑰匙圈，
小心的穿過鈕扣結的中
央，剪斷後黏膠固定。
另一條線剪斷，黏膠固
定。</td></tr>
</table>

剪斷後黏膠

穿過鈕扣結中央，
剪斷後黏膠。

如　意　結

- 如意結由四個酢漿草結組合而成，結形就像如意，引申爲稱心如意、萬事如意之意，亦有吉祥之意。
- 單獨做一個如意結用4號韓國線4尺。

| 1 | 做好一個酢漿草結後，隔5公分的位置，做一個酢漿草結。 |

5cm

| 2 | 再隔5公分的位置，也做一個酢漿草結。 |

外耳先不調整

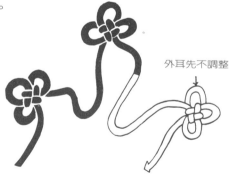

3	用右線做一個內耳，如圖般以酢漿草結當外耳的做個漿草結。

4	如圖③般的做好酢漿草結的初型，再用左線穿過內耳③，勾住內耳①，再穿出。

內耳③

5	拉緊三個外耳（酢漿草結），再調整中央酢漿草結的外耳。

如 意 結 項 鍊

材料／
米黃色韓國絲（5號）7尺
藍色陶珠1個
米黃色流蘇線16條
金色金蔥線少許

使用結／
如意結、鈕扣結

| 1 |

線對摺後，留30公分當
項鍊部分，開始做一個
鈕扣結。以鈕扣結爲中
心，做一個酢漿草結。

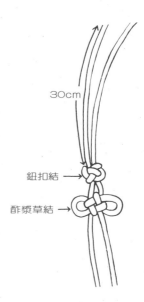

30cm

鈕扣結 →

酢漿草結 →

| 2 | 再編三個相連的酢漿草
結，完成一個如意結。 |

| 3 | 在如意結下面穿上一個
藍色的陶珠。 |

小Case，難不倒我啦！

藍色陶珠

| 4 | 再做三個相連的酢漿草結，調整耳翼的大小，與上面的如意結相對稱。 |

| 5 | 調整好相連的酢漿草結後，再編一個酢漿草結。 |

6

如此做好兩組上下相反
的如意結後，在線頭部
分作流蘇，流蘇的外側
以金蔥線當裝飾。

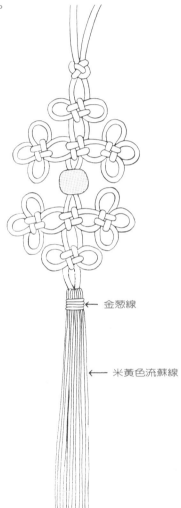

← 金蔥線

← 米黃色流蘇線

繡 球 結

- 繡球結外形圓，每個酢漿草結就 就像一朵小花，組合而成一朵繡 球花。繡球結結形鬆散，不適合 垂掛重物。
- 單獨做一個繡球結用4號韓國線5 尺。

---

1 如圖做三個外耳相連的 酢漿草結，兩個酢漿草 結間相隔5公分。

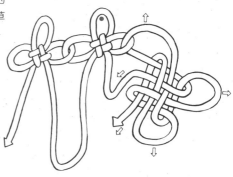

---

2 參考如意結打法，以三 個酢漿草結為外耳，做 一個酢漿草結。

外耳先不調整 ↑

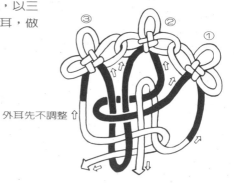

3

將兩邊線頭如圖所示穿入兩邊的耳翼中。

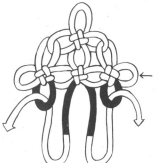

先調整好四個酢漿草結的外耳，再將兩邊的線穿入外耳裡。

4

如圖②再做一個酢漿草結。

5

再調整外耳的大小，便完成了繡球結。

繡 球 結 項 鍊

材料／
淺粉紅色韓國絲（5號）6尺
葉形墜子1個
項鍊頭1副

使用結／
繡球結、雙聯結

| 1 | 在線的中心位置穿上墜子，開始做繡球結。 |

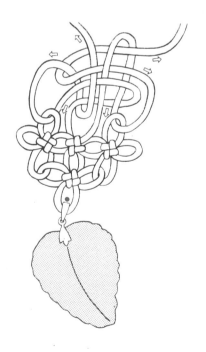

2

做好繡球結後，編一個雙聯結，墜子部分即告完成。剪掉多餘的線頭，裝上項鍊頭。

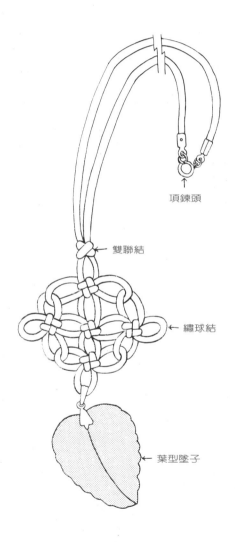

項鍊頭

雙聯結

繡球結

葉型墜子

法 輪 結

- 法輪爲佛語，棄絕原來之惡行，如輪轉行，謂之法輪。此結由八個酢漿草結組成圓圈，稱之爲法輪結。
- 單獨做一個法輪結用4號韓國絲7尺。

1

連續做七個外耳相連的酢漿草結，每個酢漿草結間相隔10公分。

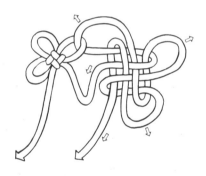

先不調整外耳

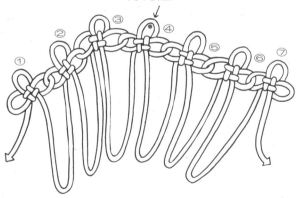

2

以酢漿草結當外耳，開始編盤長結，從①、②開始，將③、④的線穿入①、②中。

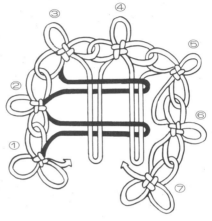

3

再將⑤、⑥的線穿入③、④中，與①、②平行。

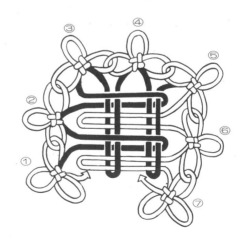

<table>
<tr><td>4</td><td>左右兩條線如圖作穿壓編結後，編一個酢漿草結。</td></tr>
</table>

<table>
<tr><td>5</td><td>拉住所有的酢漿草結，拉出盤長的結形，再開始抽線，調整法輪結的大小。</td></tr>
</table>

拉線時，先將酢漿草結當盤長結的
外耳，拉緊盤長結後再抽線。

法輪結項鍊

材料／
深褐色韓國絲（5號）8尺
白色珠子（中）7個
項鍊頭1副

使用結／
法輪結、鈕扣結

| 1 | 先做出相連的七個酢漿草結，再編出盤長結的初形。 |

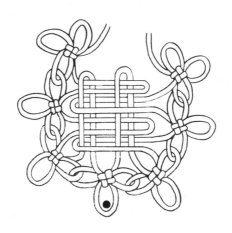

101

2 利用兩邊的線完成法輪
結後，開始抽線。

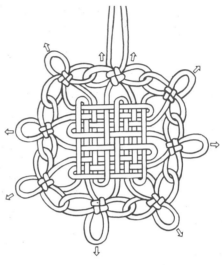

3 在抽好線的法輪結後，
編一個鈕扣結。

4

在每個酢漿草結的中間
外耳，縫上一個白色的
珠子。

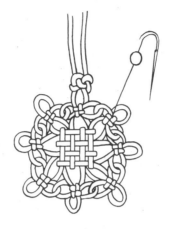

5

縫好珠子後，將線頭剪
成適當的長度，裝上項
鍊頭。

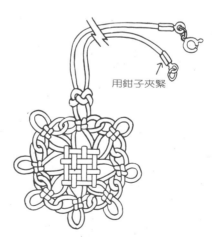

用鉗子夾緊

我的手很巧吧?!

磬 結

● 磬是一種敲擊樂器，此結結形與磬的外形一樣，所以稱爲磬結。「磬」與「慶」同音，象徵慶福之意。

● 單獨做一個磬結用4號韓國線10尺。

| 1 | 如圖做出平行的八條線，其中四長、四短。 |

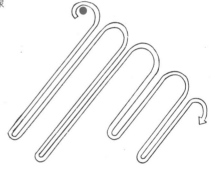

| 2 | 如圖一穿一壓的穿入平行的四條線。 |

| 3 | 再如圖做出第三組線，線向右時全壓，線向左時全穿。 |

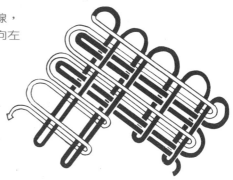

| 4 | 如圖示先壓四條線，再穿一壓三做二次，繞回時穿二壓一穿三壓一穿五，如此做二次。 |

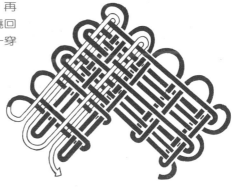

| 5 | 此步驟作法如71頁④。穿一壓三做二次，繞回時穿二壓一穿三壓一穿一，做二次。 |

| 6 | 如圖⑤的作法完成磬結
右邊的部分。 |

| 7 | 將外耳拉緊，再開始調
整。磬結的外耳部分通
常不留。 |

磬 結 項 鍊

材料／
淺綠韓國絲（5號）10尺
水滴型墜子1個

使用結／
磬結、鈕扣結

| 1 | 這個結是將磬結反過來做。先穿入墜子後，編一個鈕扣結。 |

| 2 | 如圖做出兩組平行的六條線。 |

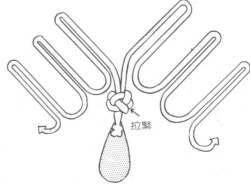

拉緊

3

如圖示，做出穿壓的四條平行線。向左時，線全部為壓；向右時，線全部為穿。

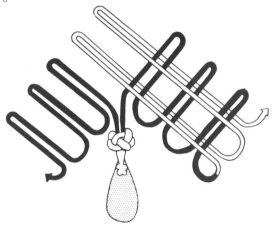

4

如圖示，向下時線全部為壓，向上時線全部為穿，做出平行的10條線。

<table>
<tr><td>5</td><td>左線穿一壓一，做出平行的四條線。</td></tr>
</table>

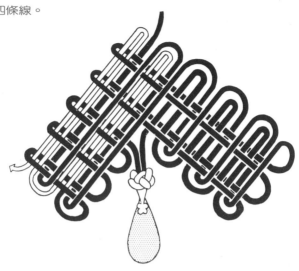

<table>
<tr><td>6</td><td>繼續以穿一壓一穿三壓二，繞回時壓三穿一做二次，完成未完成的部分。</td></tr>
</table>

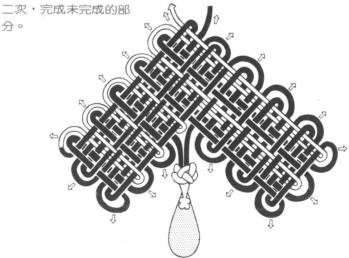

| 7 | 拉緊外耳，開始抽線，將所有外耳抽緊，不留外耳，注意結形不要扭曲了。 |

| 8 | 抽好線後做一個鈕扣結，完成墜子部分。 |

9

留30公分當項鍊部分，後編一個鈕扣結，線尾剪斷，火燒處理後，塞入鈕扣結裡，黏上樹脂固定。

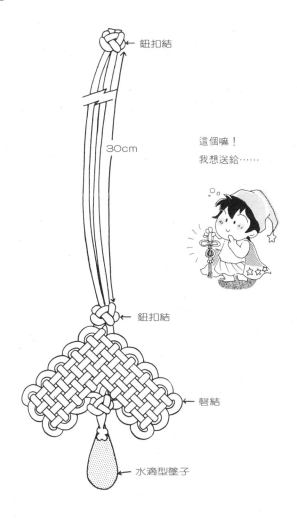

鈕扣結

30cm

鈕扣結

磬結

水滴型墜子

這個嘛！

我想送給……

盤 長 蝴 蝶 結

- 此結是以盤長結變化成蝴蝶的模樣，因而得名。它的用途極廣，可單獨裝飾，也可與其他的結搭配。
- 單獨做一個蝴蝶結用4號韓國線4尺。

| 1 | 由中心點開始，做平行的四條線後，繞一個圓圈。 |

| 2 | 做好圓圈後，穿一壓一的做平行的兩條線，如圖做一個雙錢結，再做平行的兩條線。 |

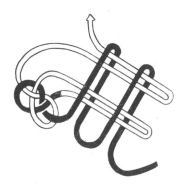

| 3 | 用右邊的線開始做穿壓，再做一個圓圈。 |

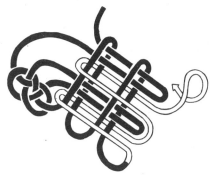

| 4 | 開始做盤長收線，做好第一組線時，如②的方法做一個雙錢結，再做第二組線。 |

| 5 | 拉住外耳及雙錢結部分，拉出盤長結，再調整翅膀部分，拉出盤長結，再調整翅膀部分，線頭做觸鬚。 |

蝴 蝶 壁 飾

材料／
藍色、粉紅色韓國絲(5號)各4尺
金色金蔥線7尺
淺藍色、乳白色、金黃色、黃色、紫
色、粉紅色、紅色韓國絲5號線各3尺
12吋圓盤1個

使用結／
盤長蝴蝶結、團錦結

| 1 | 用藍色、粉紅韓國絲做好蝴蝶後，沿著線的走向穿入金蔥線。 |

金蔥線

| 2 |

穿好金蔥線後，開始抽
線。注意金蔥線和韓國
絲的位置和走向。抽好
線後，將韓國絲的線頭
藏入盤長結中，金蔥線
留做蝴蝶的觸鬚。

| 3 |

用3尺韓國絲做八耳的
團錦結，每色各一朵。

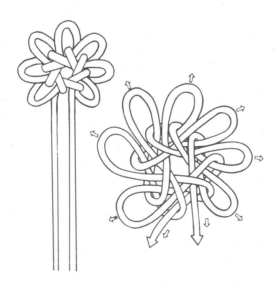

| 4 |

將團錦結的線頭部分撚
轉，在線交叉的部分黏
上樹脂固定。中央縫上
珠子當花蕊，當樹脂凝
固後，再黏到圓盤上。

鈕扣結
將線尾部分撚轉 ←

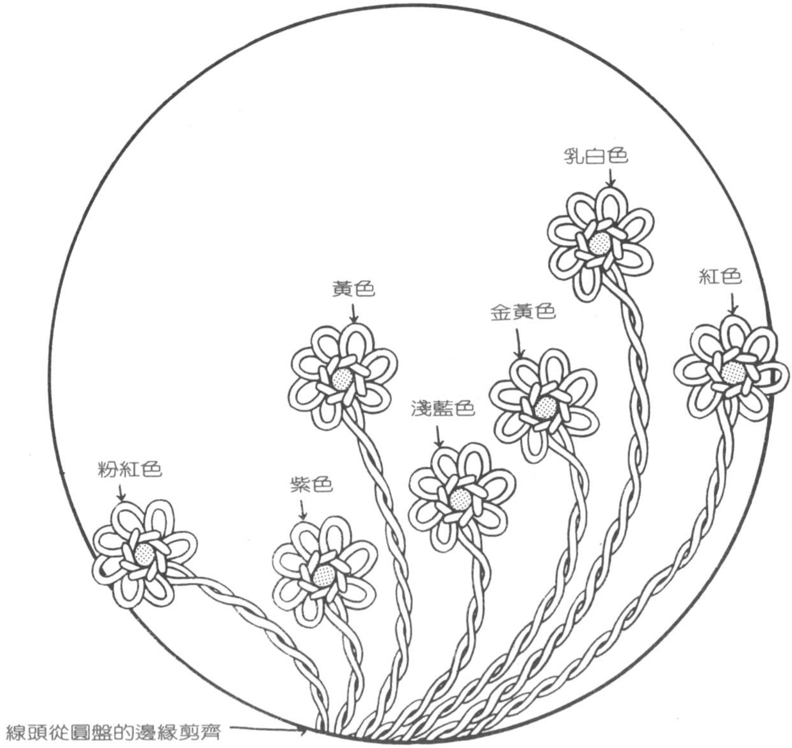

乳白色

黃色

金黃色

紅色

淺藍色

粉紅色

紫色

線頭從圓盤的邊緣剪齊 →

將蝴蝶黏在圓盤上，組
合成蝴蝶飛舞花間的圖
案。

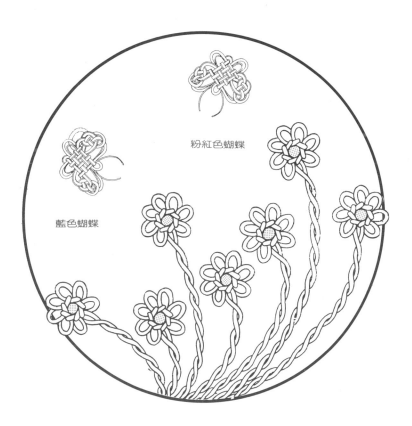

粉紅色蝴蝶

藍色蝴蝶

團錦蝴蝶結

● 團錦蝴蝶結又稱鳳蝶結，那是因為它多了一對雙錢結尾翼的關係，外形較盤長蝴蝶結來得華麗美觀。

● 單獨做一個團錦蝴蝶結用4號韓國線4尺。

1

如圖做一個雙錢結及團錦結的內耳①、內耳②。

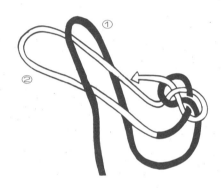

2

做內耳③，再做一個雙錢結。

3

做內耳④，穿過內耳①
、內耳②、內耳③。

4

做內耳⑤後，再做一個
雙錢結。

5

做內耳⑥，勾住內耳①
的線，繞回，再做個圓
圈。

6

做內耳⑦，勾住內耳②
的線，繞回，完成翅膀
部分的雙錢結。

<table>
<tr><td>7</td><td>做內耳⑧，勾住內耳③
的線，繞回，開始抽線。</td></tr>
</table>

<table>
<tr><td>8</td><td>拉住蝴蝶的翅膀及外耳
抽緊，再調整蝴蝶的翅
膀大小及幅度。</td></tr>
</table>

翅膀是決定蝴蝶美醜的關鍵，
仔細調好翅膀的形狀。

蝴 蝶 風 鈴

材料／
淺藍色、粉紅色、乳黃色、橘紅
色5號韓國絲各12尺
深色小珠子24個
流蘇線少許
陶珠、鈴鐺各12個
9針20根
單圈80個
14mm磨砂珠12個
鐘形鈴鐺5個
6mm仿珠50個

使用結／
團錦蝴蝶

| 1 |

每色線編3隻蝴蝶，共
編12隻蝴蝶。

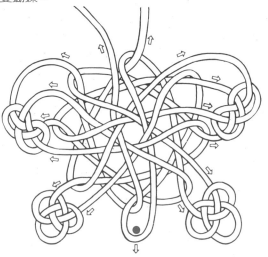

<table>
<tr><td>2</td><td>將前述結體反轉後，線頭部分留2.5公分，其餘部分剪掉。在線頭的底部縫上黑色的珠子當眼睛，並將磨砂珠放入結體中心。</td></tr>
</table>

黑色小珠子

磨砂珠

<table>
<tr><td>3</td><td>將編好的蝴蝶與陶珠鈴鐺勾連在一起。</td></tr>
</table>

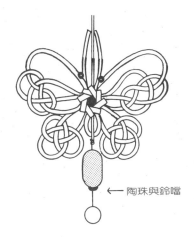

← 陶珠與鈴鐺

做個生活藝術家，先會 巧手DIY

⊙ 龍族心‧結藝情
　～巧思篇(巧手DIY①)

指導老師　林榮豐
定價250元

⊙ 內含小飾品、鳳梨、玫瑰花、
　蠟燭、鞭炮、天鵝、囍字流蘇
　等50種精彩作品，皆有詳細作
　法示範。只要花點巧思和創意
　，你也是中國結藝的傳承者！

龍族心‧結藝情～心動篇(巧手DIY④)

⊙ 本書以徒手編結之方式，

　教導製作各種耳環、髮夾、

　項鍊等飾品，以及更立體的

　大型吊飾鴛鴦、馬、龍、鳳

　等四十餘種作品。

　心動嗎？不如馬上行動！

　指導老師 林榮豐 定價250元

民聖出版品《巧手DIY系列》
全書25K本‧彩色精印‧全省各大書局熱賣中
團體訂購另有優惠　查詢專線：(02)2512725‧2529149　郵政劃撥：1765804-2

單元 **4** ：應用

變化多端的作品

當組合式的基本結也難不倒你時，你可以再運用自己的巧手與創意，做出美觀實用的中國結飾。

鈕 扣 雙 聯 項 圈

材料／
藍色韓國絲（5號）7尺
金環9個
淺藍色陶珠4個或5個

使用結／
雙聯結、鈕扣結

| 1 | 先編一個雙聯結，留1公分的線當扣環。 |

| 2 | 距離第1個雙聯結5公分處編一個雙聯結，並穿入一個金環，再編一個雙聯結。 |

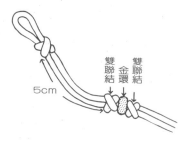

| 3 | 在離第一組金環雙聯結組合4公分處，再做一組（如②）。 |

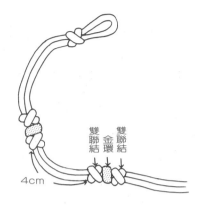

雙聯結　金環　雙聯結

4cm

| 4 | 做好第二組金環雙聯結組合後，再加一個金環，編一個鈕扣結，穿入一個陶珠，再做一個鈕扣結。 |

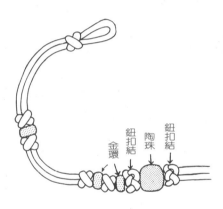

金環　鈕扣結　陶珠　鈕扣結

| 5 | 依④的次序，再做三組（或四組）陶珠組合。 |

金環　鈕扣結　陶珠　鈕扣結

②　③

<table>
<tr><td>6</td><td>如此做好四組（或五組）的陶珠組合後，穿一個金環，做一個雙聯結，再穿入一個金環，再做一個雙聯結。</td></tr>
</table>

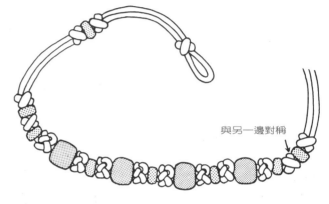

與另一邊對稱

<table>
<tr><td>7</td><td>在距⑥所做好的雙聯結4公分處，再做一個金環雙聯結組合。</td></tr>
</table>

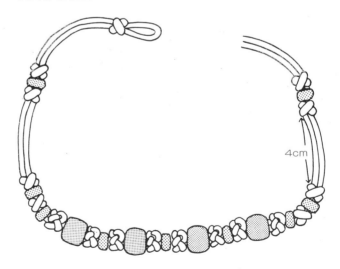

4cm

8

在距⑦所做好的金環雙聯結組合5公分處做一個雙聯結，再做一個鈕扣結（距離1公分）。

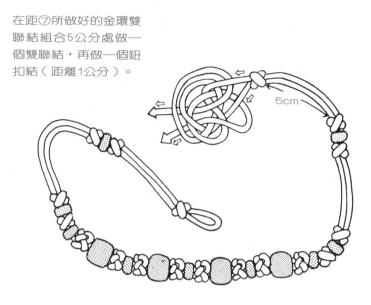

5cm

9

抽好鈕扣結的線後，剪掉線頭，用火燒處理後，塞入鈕扣結裡。

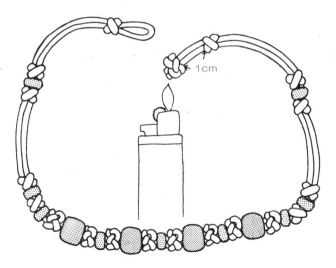

1cm

吉 祥 項 鍊

材料／
淺粉紫細辮繩9尺
陶珠1個

使用結／
吉祥結、盤長結、雙耳酢漿草結
、雙聯結、鈕扣結

| 1 | 先編一個吉祥結，留出內耳。 |

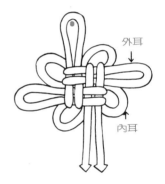

| 2 | 編好吉祥結後，兩邊各編一個雙耳酢漿草結，第二個外耳勾住吉祥結。 |

<table>
<tr><td>3</td><td>雙耳酢漿草結編好後，兩邊線頭勾住吉祥結的內耳，再穿過雙耳酢漿草結的外耳①，編雙聯結。</td></tr>
</table>

勾住 —— 勾住

穿　穿

雙聯結

<table>
<tr><td>4</td><td>左右各編一個四線盤長結，抽線。</td></tr>
</table>

| 5 | 盤長結的線抽好後，再
編一個雙聯結。 |

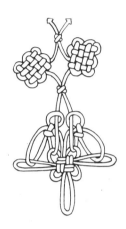

| 6 | 雙聯結的上面，編一個
四線盤長結，抽線。 |

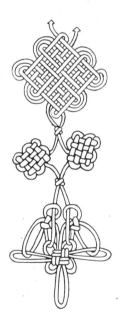

在盤長結的上面做一個雙聯結，穿入一個小陶珠，再編一個雙聯結，這就是墜子部分。項鍊的部分可做單結裝飾，由各人的喜好決定，最後編鈕扣結做結束。

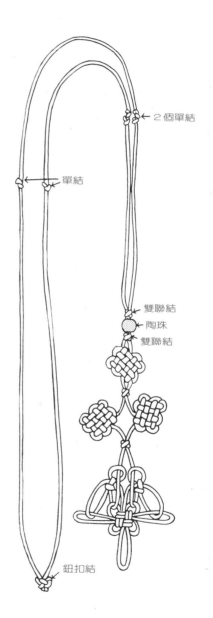

← 2個單結

單結

雙聯結
陶珠
雙聯結

鈕扣結

累了吧？休息一下！

吉祥如意鑰匙圈

材料／
黃色韓國絲（4號）5尺
鑰匙圈1個

使用結／
酢漿草結、吉祥結、鈕扣結

1

鑰匙圈穿上韓國絲，做
一個鈕扣結，再做一個
酢漿草結。

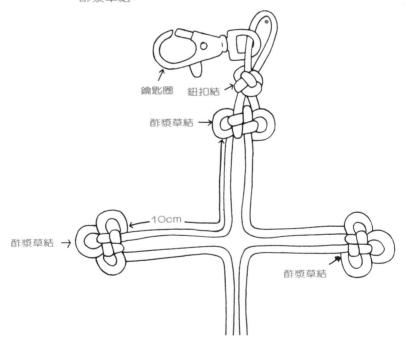

鑰匙圈　鈕扣結

酢漿草結 →

酢漿草結 →

←10cm

酢漿草結

| 2 | 用做好十字型的線互相交疊，做好吉祥結（吉祥結作法參考78頁）。 |

吉祥結

| 3 | 最後再做一個酢漿草結，剪成適當長度，藏線頭，用樹脂固定。 |

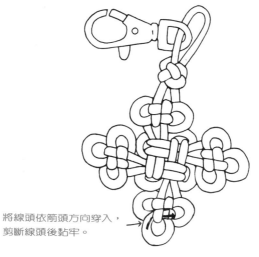

將線頭依箭頭方向穿入，
剪斷線頭後黏牢。

十 全 結 扇 墜

材料／
黃色韓國絲（5號）5尺
扇子1把

使用結／
十全結、雙聯結、鈕扣結、酢漿草結

| 1 |

線對摺後，做一個鈕扣結，中央留9公分當掛環部分。

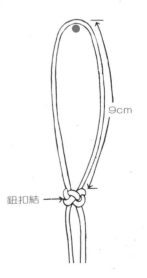

9cm

鈕扣結 →

以鈕扣當中心點，開始
做十全結。

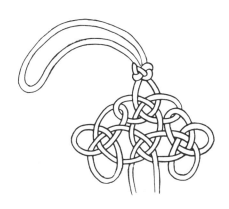

一面做十全結，要一面
調整十全結的大小、左
右、上下的對稱。

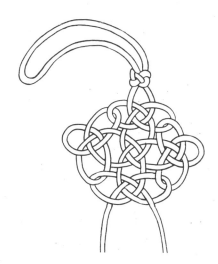

<table>
<tr><td>4</td><td>編好十全結後，再做一個雙聯結。</td></tr>
</table>

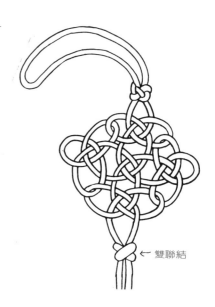

← 雙聯結

<table>
<tr><td>5</td><td>做好雙聯結後，左右線各編一個酢漿草結。注意位置的對稱。</td></tr>
</table>

← 左右各做一個酢漿草結

6

再編一個鈕扣結，當作
扇墜的結束，以下的線
梳成流蘇。

7

將剩餘的線梳開當流蘇
，尾端剪齊。

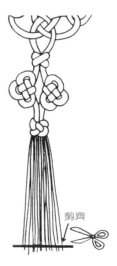

剪齊

如 意 扇 墜

材料／
黃色韓國絲（5號）7尺
黃褐色方型陶珠1個
金色鈴鐺2個

使用結／
盤長結、酢漿草結、雙聯結

---

1 線對摺，由中心點留6公分做掛環部分，然後做二次雙聯結。

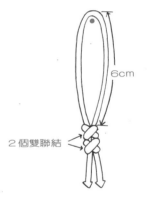

6cm

2個雙聯結

---

2 在做好雙聯結的下面做三個相連的酢漿草結（作法參考如意結，88頁）。

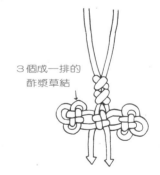

3個成一排的
酢漿草結

3 再做二次雙聯結。

2個雙聯結 ←

4 雙聯結的下面，做一個
酢漿草結。

酢漿草結 →

5 做好酢漿草結後，穿上
一個方形的陶珠。

方形的黃褐色陶珠 →

| 6 | 再做一個六排的盤長結。 |

| 7 | 做好盤長結，拉出適當的大小，外耳可依各人喜好而留。 |

留外耳部分 →

8

在做好的盤長結下做一個雙聯結，兩邊各留7公分，其餘剪掉，用金色線綁上鈴鐺（繞線法）。

雙聯結

7cm

金色線

金色鈴鐺

線頭剪掉後黏膠

如意盤長結項鍊

材料／
淺藍色韓國絲（5號）10尺

使用結／
盤長結、酢漿草結、雙耳酢漿草
結、團錦結、雙聯結

| 1 |

線對摺，留30公分當項
鍊部分，編一個雙聯結
，再編一個酢漿草結。

雙聯結

酢漿草結

<table>
<tr><td>

2

</td><td>

接著做一個八排的盤長結，在第一組線的外耳②編團錦結，外耳④做雙耳酢漿草結，外耳⑥做團錦結。

</td></tr>
</table>

外耳①
外耳②
外耳③
外耳④
外耳⑤
外耳⑥
外耳⑦

<table>
<tr><td>

3

</td><td>

左線依上列的次序一樣的做出團錦結和雙耳酢漿草結。

</td></tr>
</table>

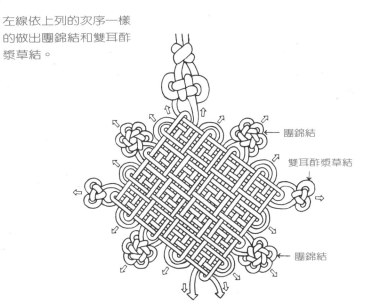

團錦結

雙耳酢漿草結

團錦結

4	將做好的八排盤長結抽線到適當的大小。

5	在拉好的盤長結下，再做一個酢漿草結和雙聯結。

將剩餘的線梳開成爲流蘇，用蒸氣將線熨平後剪齊。

這是我的得意作品！

剪齊

花 團 錦 簇 項 鍊

材料／
淺粉紫色韓國絲（5號）10尺
黑色珠子1個

使用結／
團錦結、盤長結、鈕扣結、雙耳
酢漿草結、酢漿草結、雙聯結

| 1 | 線對摺留30公分作項鍊部分，做一個鈕扣結。 |

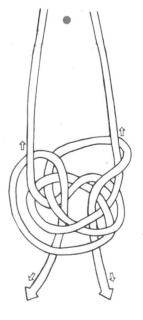

2	緊接著做一個四線的盤 長結，抽線。

3	抽線時，將外耳拉緊， 然後做一個雙聯結。

很簡單吧?!

4

將右線分別做出雙耳酢
漿草結、三耳酢漿草結
、雙耳酢漿草結。左線
也分別做雙耳酢漿草結
、三耳酢漿草結。每個
結中間留8公分。

⑥ ⑤ ④ ③ ② ①

5

將做好的雙耳酢漿草結
、三耳酢漿草結、雙聯
結組合成一個團錦結的
初形。

6

現在開始收線，將線穿
入內耳⑥、內耳⑥，並
勾住內耳①的線，穿出
，做一個雙耳酢漿草結。

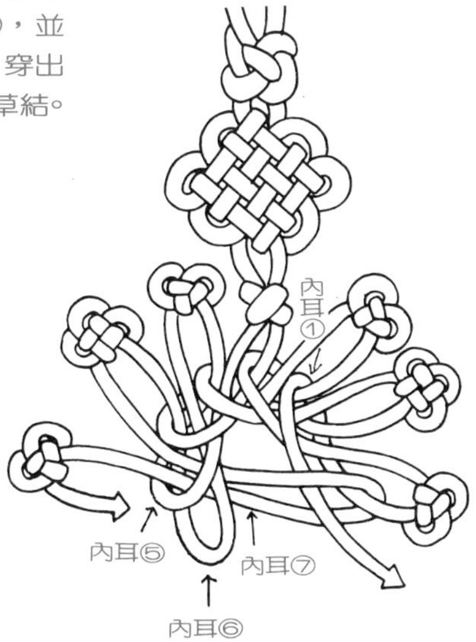

內耳①

內耳⑥ 內耳⑦

內耳⑥

7

將線穿入內耳⑥、內耳
⑦，勾住內耳②的線，
穿出，開始抽線。

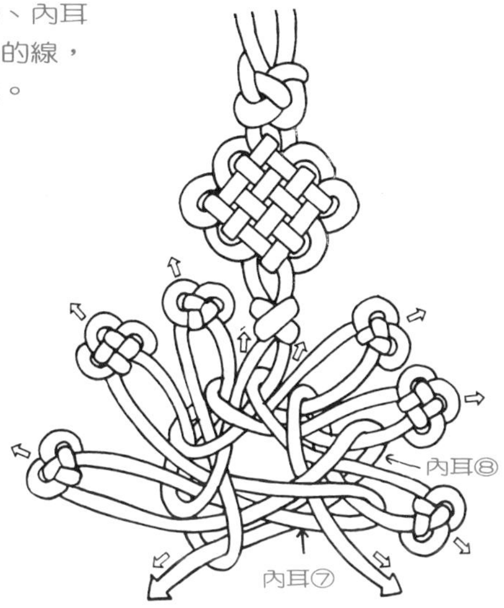

內耳⑧

內耳⑦

| 8 | 將線抽緊後，開始調整外耳大小。 |

| 9 | 最後做一個鈕扣結作結束。 |

將線頭部分梳開，剪齊
當流蘇。團錦結中央部
分縫上玉珠。

黑色玉珠

剪齊

哇！剪不斷，理還亂……

魚 型 項 鍊

材料／
粉紫色韓國絲（5號）10尺
同色繡線少許
黑色珠子1個

使用結／
團錦結、盤長結、酢漿草結

| 1 | 線對摺，留30公分當項鍊部分，編一個團錦結。 |

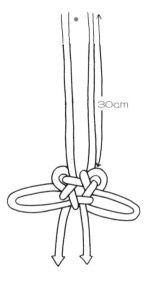

30cm

| 2 | 開始編盤長結，盤長結的外耳部分做一個酢漿草結。 |

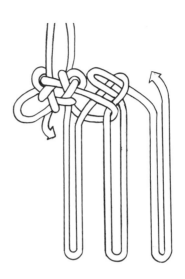

| 3 | 做好酢漿草結，如圖穿一壓一的完成盤長結的右線部分。 |

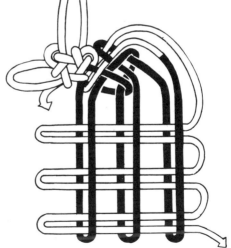

4 開始做左線的部分，外耳做一個酢漿草結。

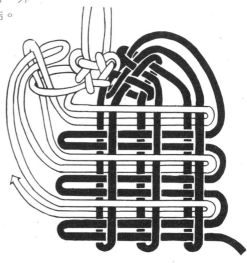

5 完成盤長結的最後部分抽線。

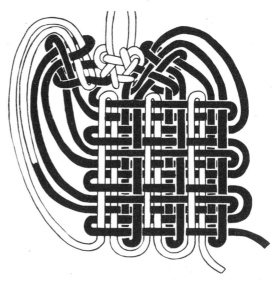

| 6 | 盤長結的下面作一個團錦結。抽線後，將線頭留2公分，其餘剪掉。 |

剪齊

| 7 | 用同色的繡線縫一個珠子當眼睛。 |

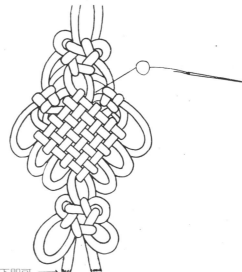

用打火機燒烤一下即可 →

如 意 鑰 匙 圈

材料／
綠色韓國絲（5號）6尺
紫色陶珠1個
鑰匙圈1副

使用結／
如意結、酢漿草結、雙聯結

| 1 | 由中心點開始，做一個
如意結。 |

| 2 | 再做一個酢漿草結，穿入一個陶珠。 |

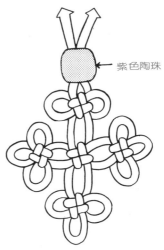

紫色陶珠

| 3 | 穿好陶珠後，做一個雙聯結，左右兩線各編一個酢漿草結。 |

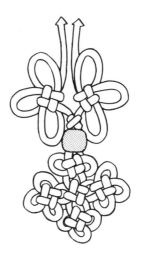

<table>
<tr><td>4</td><td>調整左右酢漿草結的外耳，再做一個雙聯結。</td></tr>
</table>

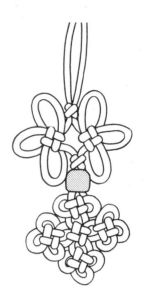

<table>
<tr><td>5</td><td>將一條線頭穿上鑰匙圈，穿過雙聯結的中央，剪斷線頭黏膠，另一條線剪斷後，黏膠。</td></tr>
</table>

剪斷

穿過雙聯結
的中央

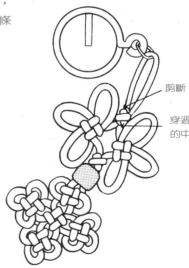

單元 **5** ：挑戰

用基本結來編文字

哈哈！恭禧你已進階到高段班，表示你已
通過細心和創意的考驗了，現在要磨練你的耐
力啦！一起來向〝中國文字〞挑戰如何？

壽 字 結 掛 飾

材料／
韓國絲3號線12尺

| 1 | 定線的中心點，留15公分當掛環部分，做一個雙聯結，再做一個酢漿草結，左右再各做一個雙耳酢漿草結。 |

| 2 | 參照如意結的做法，完成壽字結的上半部。 |

3

調整好壽字結的上半部
後，再編一個酢漿草結。

4

在線的兩邊各做一個雙
耳酢漿草結。

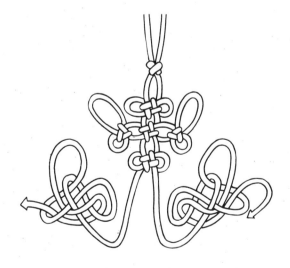

| 5 | 再將兩個雙耳酢漿草結
用一個酢漿草結組合。 |

| 6 | 調整好酢漿草結的大小
後，再編一個酢漿草結。 |

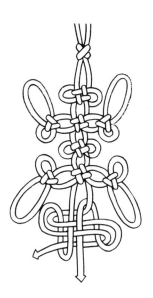

調整雙耳酢漿草結，注意上下左右的外耳是否對稱。編雙聯結，剩下的線梳開，用蒸氣熨直作流蘇。

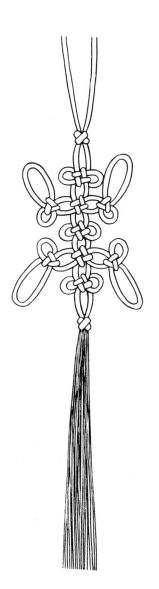

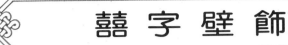

囍 字 壁 飾

材料／
3號韓國絲26尺
網狀圓盤10吋1個

| 1 | 將線剪成一樣長的兩條，用一條先做一個如意結。 |

| 2 | 調整如意結的耳翼，第一個酢漿草結的外耳留大一點，再做一個酢漿草結。 |

<table>
<tr><td>3</td><td>兩邊的線頭穿過兩邊的外耳，各做一個相連的酢漿草結。</td></tr>
</table>

<table>
<tr><td>4</td><td>再做一個酢漿草結，將四個酢漿草結連成一個圓圈，即是空心的繡球結。</td></tr>
</table>

5 在做好的「 囗 」下面做
三個相連的酢漿草結。

6 再做一個空心的繡球結
，線頭部分藏入結體裡
，如此便完成一個喜字。

<table>
<tr><td>7</td><td>用另一條線做一個如意結，與完成的喜字相連接。</td></tr>
</table>

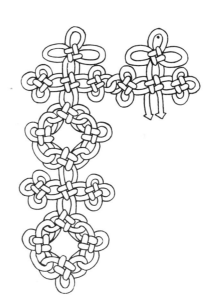

<table>
<tr><td>8</td><td>按照前面的作法完成另一邊的喜字。注意外耳相連的部分。</td></tr>
</table>

春 字 壁 飾

材料／
紅色韓國絲（4號）22尺
網狀圓盤8吋1個

| 1 | 由中心點開始，做一個酢漿草結。兩邊隔20公分再各做一個酢漿草結。 |

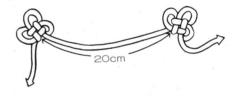

20cm

| 2 | 兩邊如圖做一個酢漿草結。兩邊再用酢漿草結組合，調整外耳的線。 |

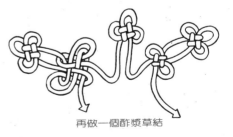

再做一個酢漿草結

3 做好相連的五個酢漿草結後，做一個雙聯結，再做五個相連的酢漿草結。

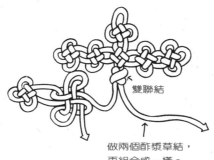

雙聯結

做兩個酢漿草結，再組合成一橫。

---

4 再做一個雙聯結後，兩邊各做三個相連的酢漿草結，再組合成七個一排的酢漿草結。

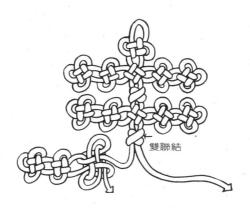

雙聯結

5

兩邊各編四個酢漿草結，做成九個相連的酢漿草結，調整耳翼時務必調整成向下的兩撇。

6

做外耳相連的酢漿草結三個，形成半個空心繡球結。

在空心繡球結的下面做
一個酢漿草結，外耳不
相勾連。

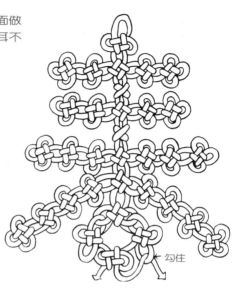

←勾住

做好酢漿草結，再做三
個外耳相連的空心繡球
結。

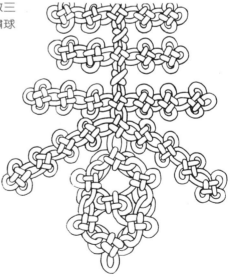

將春字用樹脂固定在圓
盤的中央，注意左右位
置的均衡。

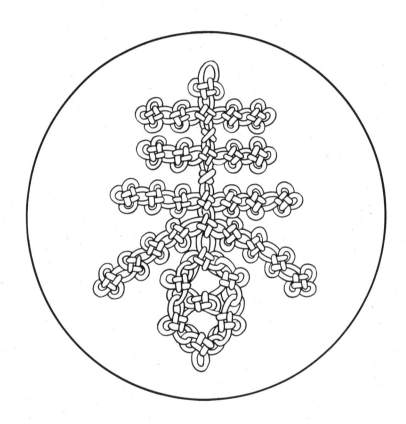

圓盤的垂飾組合

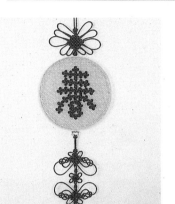

材料／
紅色韓國絲
（4號，上段掛環用）10尺
紅色韓國絲
（4號，下段垂飾用）13尺
流蘇線1／2把
金色金蔥線少許

1

線對摺，留8公分做一
個鈕扣結，再做一個六
排盤長，最後做一個鈕
扣結。

圓盤的側邊穿一個洞，
將做好的盤長結穿入，
做一個鈕扣結作結束。
（以此當作12點鐘位置）

在做好「春」字的圓盤
下方6點鐘的位置穿入
一個掛環，套入另一條
長390公分的線後做一
個鈕扣結，一個向下的
盤長蝴蝶結，再做一個
雙聯結。

| 4 | 雙聯結的下面做一個六耳團錦結，再做一個雙聯結。 |

| 5 | 做好雙聯結後，再做一個盤長蝴蝶結，與圖③的方向相反，使兩隻蝴蝶相對。 |

腦筋打結了……

6 線尾部分綁上紅色流蘇線，再用金蔥線裝飾。流蘇長約30公分。

金葱線

紅色流蘇線

<table>
<tr><td>

7

</td><td>

如此便完成了一個極富
古意的「春」字垂飾，
另外可再做一個「福」
字垂飾。

</td></tr>
</table>

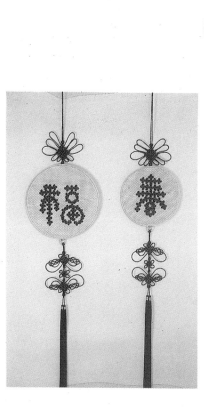

福字壁飾

材料／
紅色韓國絲（4號）13尺、14尺
網狀圓盤10吋1個

| 1 | 用390公分的線做「示」字邊，先做三個成一排的酢漿草結。 |

| 2 | 接著做五個成一排的酢漿草結。 |

用酢漿草結組合兩邊的線

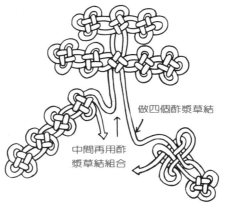

3 兩邊各做四個酢漿草結，組合成九個呈ㄑ字形的結。

做四個酢漿草結

中間再用酢漿草結組合

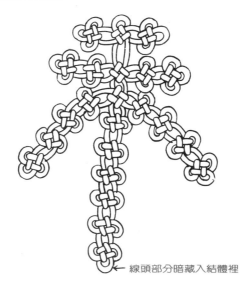

4 做好③的部分，接著做六個相連的酢漿草結。

線頭部分暗藏入結體裡

5

如圖①，做三個一排的
酢漿草結，再做六個外
耳相連的空心繡球結。
（成口字）

六個酢漿草結所組合的
空心繡球結

6

接著做一個酢漿草結，
再用左線做五個外耳相
連的酢漿草結。

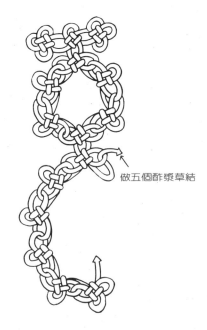

做五個酢漿草結

| 7 |

再將完成一邊的半成品反面，使右線轉到左邊，一樣做五個外耳相連的酢漿草結。

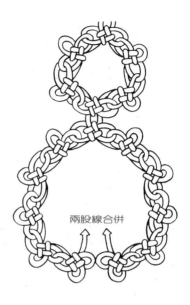

兩股線合併

| 8 |

將兩邊的線合併，做一個如意結，再做一個酢漿草結作爲結束。

嗯，不錯吧！

將福字黏在圓盤上，注
意擺的位置，務使上下
左右位置相同。

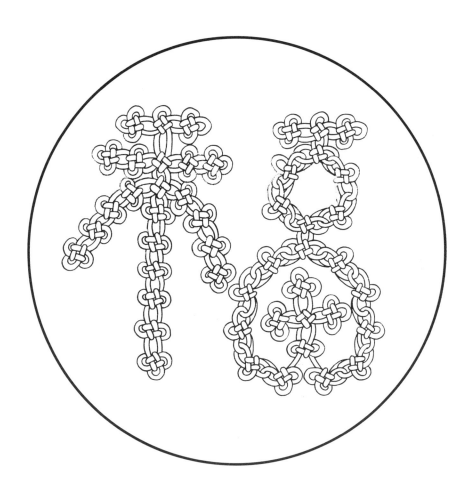

| 10 |

如175頁做出上、下部
分的垂飾，與春字垂飾
配合。

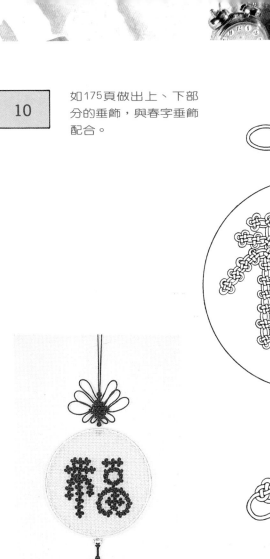

附錄：幸運手環

文・圖／小樂

材料／

繡線或細流蘇線數條，顏色可自己配。

要訣／

先將線條用膠帶黏於桌面，練熟基本結法一、二。

基本結法一

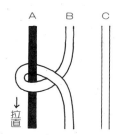

①先取A、B二線，左手拉
　A線，右手拉B線，如圖
　打結。C線暫時不管它。

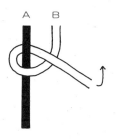

②將B線向上拉，使結往上
　移至A線頂，注意要拉緊。

③如圖①之結法再打一次，
　如圖②向上拉緊。

④左（A線）下右（B線）
　上交叉拉緊。

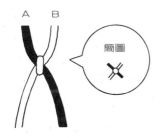

簡圖

⑤完成一個結囉！

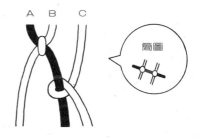

簡圖

⑥再以A、C兩線為主，重
　覆步驟①至⑤。若右邊還
　有C、D、F……等線，
　作法可類推下去喔！

LET'S GO!

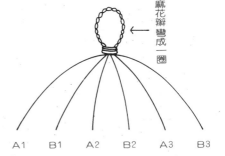

麻花辮變成一圈

①取二色(A、B)線各3條，
　每條90cm，先編成麻花
　辮約4cm（手環繫綁用）
　，再把各線攤排成如圖。

A1　　B1　　A2　　B2　　A3　　B3

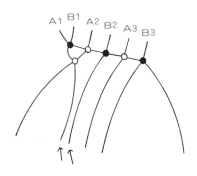 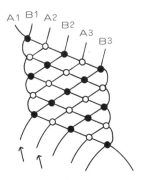

②以「基本結法一」，由左至右、由上而下依序打成
　如上圖。注意千萬要拉緊，使結結相扣，不可留下
　空隙。如此耐心的編下去，最後再以麻花辮收線，
　就大功告成啦！

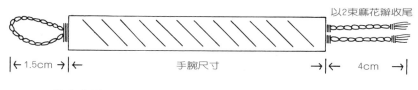

以2束麻花辮收尾

|←1.5cm→|←　　　　　手腕尺寸　　　　　→|←　4cm　→|

③完成圖。

注意

1.各步驟要打緊喔！
2.每個結拉緊的力道要相同，
　打出的手環才會均勻漂亮！

這是最簡單的作法，你可以隨意配色或加線，
線愈多條，手環會愈粗，試著編一條給你喜歡
的人吧！

也可以用下頁的《基本結法二》做，斜紋方向會相反。

基本結法二

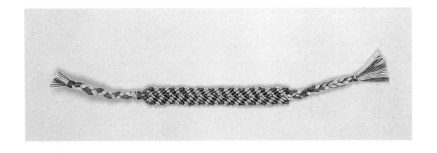

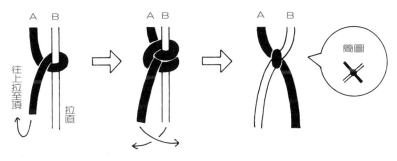

將「基本結法一」中的左右顛倒，作法相同。

LET'S GO!

①取二色(A、B)線各4條，
每條200cm，須如圖放好
位置。

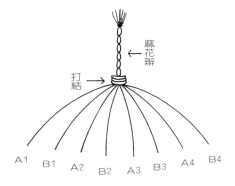

②從中間A2、A3處開始打
　起，以左(B2、A3)，右(
　A2、B3)，結合成中(B2
　、B3)的順序，呈V字型
　方向編下來，注意是一排
　一排(V)的編喔！

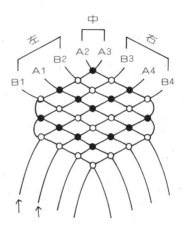

左半部用《基本結法二》。
右半部用《基本結法一》。
中間用《基本結法一》。

|← 3cm →|←　　　　　　手腕尺寸　　　　　　→|← 5cm →|

③完成圖。

熟能生巧後，你
也可以自己設計
顏色、寬度、
圖案喔！

材料
何處覓

　　親愛的讀者！本書中所提的材料在全省手藝行或教室均可買到，由於學習中國結藝與推廣中國民俗藝術的人士愈來愈多，所以一般手藝行材料頗為充裕。

　　初學者想找一家最近的手藝材料店不妨向週邊的人打聽一下，若是學生更可以請教工藝或美勞老師；而中華電信之電話本上的手工藝類也有不少就近的資訊。

　　萬一還是找不到的話，請撥(02)251-2725，由本社代為查詢。

國立中央圖書館出版品預行編目資料

實用中國結. 初學篇／周琦編著；林榮豐增訂
. --初版. --臺北縣板橋市： 民聖文化，
1995[民84]
面； 公分. --(巧手DIY；2)
ISBN 957-779-030-5(平裝)

1.編結

426.4   84007673

巧手DIY(2)

實用中國結~初學篇

DIY製作群

結飾製作／林榮豐
總 編 輯／林紀律
責任編輯／黃瑞珠
美編主任／黃天上
美術編輯／連士琪
攝　　影／蔡親傑
插　　畫／翁淑惠·陳若娟
感謝：彩頁道具提供者／黃琦晶·蕭志琦·
　　　羅佩玲·張台芳·林婉芸

歡迎學校、社團、才藝班等團體訂購本書，另有優惠價。

MADE IN TAIWAN